Jingles
La princesa que volvió a sonreír

ISBN: 9780991084135

King's Treasure Box Ministries, Cumming, GA

Ilustraciones por Bob Biedrzycki
Arte y diseño Steve Tyrrell/tyrrelcreative.com

Jingles
La princesa que volvió a sonreír

Tammy Kennedy
Ilustrado por Bob Biedrzycki

Agradecimientos

Escribir este libro no ha sido una tarea personal y solitaria. La visión de llevar a cabo un proyecto como este ha sido una tarea de equipo. Cada capítulo ha sido formado y transformado por la crítica constructiva de amigos, colegas y personas a quienes amo y aprecio. Mi padre celestial comenzó a disponer ayudantes para esta tarea desde mi nacimiento.

Cathy Vaughn – ¡este libro es posible gracias a ti! Tu fe, tu amistad y tu amor incondicional por los últimos 24 años fueron la medicina sanadora que no es posible conseguir a través de un terapeuta. ¡Mi cariño por ti es inmenso!.

Mike y Deb Goldstone – ¡me adoptaron como parte de la familia y nunca los dejaré! He aprendido tanto de ustedes y por supuesto de Grammy. Gracias por permitirme vivir en un hermoso castillo durante el tiempo en que el Rey me preparaba para la siguiente aventura. ¡Los amo muchísimo!.

A mi grupo de princesas: - Dawn, ¡nunca tendré otra "entusiasta" como tú! Nanci, eres la mejor, la más hermosa y súper especial. Jen, me inspiras a seguir corriendo la carrera y manteniéndome en la lucha. Merylee, desde el principio creíste en mi sanidad completa y el propósito del Padre para mi vida. Lu, tus enseñanzas han caído en tierra fértil. ¡Gracias!

Las personas que merecen reconocimiento en mi familia real son los miembros de la Junta Directiva del Ministerio The King's Treasure Box ("El cofre de tesoros del Rey").

Nancy Roy – el libro de "Jingles" no existiría sin ti, porque no habría ninguna princesa para escribirlo. Rescataste mi vida y te amo como una hija podría amar a su madre. Gracias por todo tu trabajo y esfuerzo que hicieron posible este libro y muchas gracias por toda la ayuda que nos prestas en la formación y desarrollo del ministerio The King's Treasure Box ("El cofre de tesoros del Rey).

Debbie McClain – ¡este libro es posible gracias a la generosidad de tu corazón! Debido a las restricciones financieras y limitados conocimientos de tecnología y gramática que esta princesa posee, existía la gran necesidad de una "hermana mayor". Gracias por tu amistad, porque llenas nuestras vidas de alegría y por compartir tan abiertamente tus recursos y conocimientos. Te quiero muchísimo.

Muna Worku – tu rol en la realización de este libro es importantísimo. Este proyecto no hubiera sido posible sin ti, porque yo jamás hubiera sobrevivido esos años en el hospital sin tu apoyo. Lamento mucho los altibajos que te hice pasar durante el tiempo que compartimos el dormitorio, creo que Dios te eligió especialmente para ayudarme a decidir por la vida. ¡Te amo con todo el corazón!

Fiseha Asfaw – por último, pero no por eso menos importante, quiero agradecer a mi hermano por sus inagotables oraciones por el ministerio. ¡Te amamos!

Índice

Como utilizar este libro
SU FUNCIÓN COMO AYUDANTE DE PRINCESA

Este libro ha sido redactado como elemento de ayuda para las niñas y adolescentes que hayan sido víctimas de abuso sexual. El primer paso es leer el libro con el propósito de analizar el contenido y decidir si usted puede manejar el material y proveer la ayuda necesaria para la persona o personas que lo necesitan. Si es posible establezca una red personal de apoyo cuanto antes. *Este libro no tiene como objetivo tomar el lugar de una terapeuta profesional.* Su hija necesita su apoyo, su paciencia y su atención.

POR FAVOR familiarícese con la sección "Lo que debe hacer y lo que no debe hacer" (Apéndice I). Aliente a las demás personas que se han unido a su red de apoyo a familiarizarse con esta porción del libro.

Por favor lea la sección "Lo que debe hacer y lo que no debe hacer" antes de comenzar a leer la historia de Jingles.

Lea la historia de "Jingles" con su pequeña princesa, antes de comenzar la lectura comparta brevemente con ella sobre el cuento que usted cree que será de ayuda para ella. Exprese de forma verbal lo mucho que la ama y que su deseo es ayudarla a superar la angustia y el dolor por el cual ella está pasando. Comparta pequeñas porciones de este libro, como en el transcurso de la historia tendrá partes muy divertidas y juntas se unirán a Jingles a cazar algunos monstruos.

Utilice su creatividad. Los capítulos que tratan sobre los monstruos de la mentira, en los cuales pasará una gran parte del tiempo de lectura, son los capítulos más importantes. Usted, siendo una de las personas que más ama a su princesa y quien la conoce mejor, tendrá un papel muy importante al ayudarla a confrontar las opiniones que su niña tiene sobre el abuso sexual. Analicen juntas las mentiras que Jingles enfrenta a lo largo de la historia. Utilice el personaje del monstruo de la mentira como una herramienta, buscando formas para iniciar la conversación de una forma amena y relajante para la niña. A través de este ejercicio podrán juntas desenmascarar las mentiras y encontrar la verdad. La historia de su princesa será diferente a la de Jingles, pero existirán similitudes como por ejemplo los sentimientos serán similares. La princesa Gracia está disponible para ayudarla a establecer y mantener el diálogo. Ella representa a las personas que Dios nos envía para ayudarnos durante nuestro proceso de recuperación y sanidad. Estos ayudantes pueden ser consejeros, pastores, un buen amigo, etc. Juntas ayudarán a Jingles a pelear contra el monstruo de la mentira que la acosa diciéndole que ella es responsable del abuso que sufrió, que ella es impura y perversa.

Sugerencia: Puede crear una *espada de la verdad* si posee los elementos necesarios utilizando materiales como papel brillante y pedazos de cartulina o cartón. Con la *espada de la verdad* que fabricaron pelearán juntas contra los monstruos de la mentira.

Nota: Si usted fue víctima de abuso sexual y no ha buscado ayuda para sanar esta área de su vida, le suplico que busque ayuda inmediatamente. Si no enfrenta los estragos que esta situación ha dejado en su vida, no podrá proveer la ayuda necesaria que su princesa necesita. USTED es tan importante como su hija.

UNA NOTA DE ALIENTO

Esta será una jornada difícil para su familia, sin embargo muchos tesoros serán descubiertos aun a través del dolor. Trate de conseguir toda la ayuda que está a su alcance y aún más. Tanto usted como su niña necesitan de mucha ayuda y apoyo. El propósito de este material es proveerle los recursos a usted como madre o padre, para ayudar a su princesa en esta etapa difícil con el fin de encaminarlos a una sanidad completa y absoluta.

Un sistema de ideas falsas nos impide caminar en libertad, nos imposibilita reconocer que somos amados y valiosos para el Rey. Encadenados a las mentiras vivimos enfermos y presos del pasado. Es hora de descubrir la verdad y disfrutar todo lo que el Rey tiene preparado para nosotros.

Un sistema de ideas falsas nos impide caminar en libertad, nos imposibilita reconocer que somos amados y valiosos para el Rey. Encadenados a las mentiras vivimos enfermos y presos del pasado. Es hora de descubrir la verdad y disfrutar todo lo que el Rey tiene preparado para nosotros.

Por varios años de mi edad adulta, arrastré conmigo un sistema falso de creencias, los llevé impregnados en mi corazón y en mi mente, hasta que mis amigos, familiares, consejeros y la iglesia de la cual formaba parte me ayudaron a entender que estas creencias eran mentiras. La vergüenza y culpabilidad que cargaba en mis hombros afectaban mis relaciones, mi carrera profesional y mis objetivos. Me molesta ver los años que perdí convencida de las mentiras que dominaban mi vida, pero me emociona e incentiva el saber que la sanidad total es posible. El proceso es mucho más corto si se enfrenta la situación a tiempo.

Creer en ideas falsas nos impide caminar en libertad, nos imposibilita reconocer que somos amados y valiosos para el Rey. Encadenados a las mentiras vivimos enfermos y presos del pasado. Es mi oración y deseo que su princesa aprenda la verdad, reciba sanidad, recupere su gozo y descubra el maravilloso plan que el Rey tiene preparado para su vida.

CAPÍTULO 1

Jingles Perdió Su Alegría

Jingles era una niña muy feliz, ella vivía con una alegría desbordante en su corazón. Jingles era feliz por las mañanas cuando despertaba y podía observar el hermoso cielo azul y el sol que brillaba en todo su esplendor. Jingles era feliz cuando su mamá le dejaba elegir sus coloridos vestidos.

Jingles era una niña muy feliz y siempre vivía con un tintineo de alegría en su corazón.

Jingles era feliz cuando Mamá la dejaba comer su cereal favorito con estrellitas dulces de colores, y era especialmente feliz cuando Papá la saludaba por las mañanas antes de ir al escuela, porque Papá trabajaba por las noches y Jingles no lo veía a menudo, solamente durante los fines de semana y él estaba muy cansado para jugar o salir juntos a pasear.

Jingles se ponía muy feliz al llegar a la escuela y veía a su mejor amiga Selena, ellas han sido mejores amigas desde el primer grado. Cuando la maestra dijo que no tendrían examen de matemáticas hasta el siguiente día, Jingles se puso muy feliz porque no estaba segura si recordaría la tabla de multiplicar.

Jingles se ponía muy feliz cuando servían pizza en el almuerzo. Aunque no se alegraba mucho cuando veía los frijoles tocando su pizza. A Jingles no le gustaba las lentejas, pero se alegraba nuevamente cuando veía que los podía remover y no hacían que su pizza tuviera un sabor raro.

Jingles se ponía aún más feliz cuando llegaban los viernes y podía dormir en la casa de su mejor amiga Selena, y este siguiente fin de semana el padrastro de Selena, el señor Soplón tenía preparada una sorpresa muy especial para ellas. El señor Soplón siempre planeaba juegos especiales y muy divertidos y la pasaban muy bien. Jingles desearía pasar más tiempo con su Papá, pero él trabaja mucho y tiene que descansar bastante.

Los días que Jingles pasa en la casa de Selena con el señor Soplón siempre son entretenidos. ¡HURRA, este será el fin de semana más alegre!, pensó Jingles.

Cuando Jingles llegó a la casa de Selena, el señor Soplón la recibió con un fuerte abrazo y ella le dijo:

El señor Soplón dijo que él tenía una sorpresa muy especial para ellas.

¡Gracias por invitarme!. Luego el señor Soplón sirvió galletitas de chocolates recién horneadas. El señor Soplón siempre le daba regalos especiales a Jingles y le preguntaba acerca de sus tareas en la escuela. En esta ocasión el señor Soplón tenía preparada una película especial.

Después de la merienda tuvieron un juego de "guerra de almohadas" que terminó con carcajadas que hacían doler el estómago, el señor Soplón preparó más galletitas para las niñas y dijo: ¡les gustará esta película!

Jingles no podía contener su emoción y alegría, ella quería mucho al señor Soplón y se sentía feliz y segura con él. La película comenzó y el señor Soplón se sentó en medio de las dos niñas. Al principio Jingles se emocionó al ver que la historia se trataba de dos niñas que parecían ser muy buenas amigas, como ella y Selena.

De repente todo cambió, la felicidad de Jingles se fue desvaneciendo al ver que las dos niñas se fueron quitando la ropa, parecía que iban a tomar

La alegría desbordante de Jingles se fue desvaneciendo completamente.

un baño, pero no fue eso lo que hicieron.

El estómago de Jingles comenzó a dar vuelcos, ella volteó a mirar a su amiga Selena quien tenía la mirada fija en la pantalla y parecía estar en un trance. Parecía que se había transformado en una zombi. Luego Jingles se dio cuenta que el señor Soplón tenía su mano entre las piernas de Selena, esto la dejó muy confundida. El señor Soplón le dijo a Jingles que Selena y él jugaban este "juego" todas las tardes y que lo disfrutaban mucho, ella también lo disfrutaría. Jingles no entendía porque su amiga Selena nunca le dijo nada acerca del "juego" con su padrastro. El señor Soplón le explicó a Jingles que

él la amaba mucho, tanto como amaba a Selena y que le mostraría como expresar su amor en una forma "muy especial".

El señor Soplón le dijo a Jingles que era muy bonita, aunque ella se sentía muy fea en ese momento. Le dijo lo "especial" que era y como él

Jingles quería correr y esconderse, pero sus piernas parecian estar paralizadas.

quería ser su amigo "especial". Jingles no se sentía especial, ella quería correr y esconderse, pero sus piernas parecían estar paralizadas. Nunca antes Jingles había sentido tanto miedo como en ese momento.

¡De repente todo empeoró! No solamente el señor Soplón y Selena se tocaban sus partes íntimas sino que él empezó a tocarla a ella, metiendo sus manos debajo del vestido de Jingles. A medida que el señor Soplón la tocaba le decía: "Esto es lo que

hacen las niñas buenas, y tú eres una niña muy buena". Jingles se sentía sucia y muy avergonzada, no había nada bueno en eso.

Nadie había tocado a Jingles de esta forma, solamente cuando ella era bebé y necesitaba el cuidado y la ayuda especial de Mamá. El señor Soplón le dijo a Jingles que nadie debía enterarse del "juego especial" que jugaron porque si ella decía algo, su amiga Selena sería enviada a un lugar muy feo y peligroso lejos de ella. Lo que sucedió debía

El señor Soplón asusta a Jingles con una amenaza de que si ella le cuenta a alguien lo sucedido habría problemas para ella y Selena.

ser un "secreto" que Jingles tenía guardar de mamá y papá. Por supuesto Jingles amaba a Selena y no quería que nadie se la llevara, mucho menos a un lugar lejos, feo y peligroso.

El señor Soplón le dijo a Jingles que él sabía que a ella le gustó como su cuerpo se sintió cuando él la tocaba. También le dijo: no te sientas mal por

"Yo se que querías que te tocara..."

lo que estamos haciendo porque eres una niña grande y los amigos especiales juegan de esta forma. Yo sabía que disfrutarías del "juego" por la manera fuerte que me abrazaste y por la forma que me sonreíste y coqueteaste cuando te di galletitas y cuando jugamos a la guerra de almohadas.

Jingles sabía que estaba creciendo porque en tan solo dos meses llegaría su cumpleaños, ¡cumpliría 9 años!
Trató de imaginar su fiesta de cumpleaños con el pastel y los caramelos y todos sus amigos, pero no fue posible recuperar su gozo tintineante. Jingles estaba atrapada ahí con el señor Soplón quien continuaba tocándola de una forma que a ella no le gustaba.

Muy triste Jingles pensaba: *"Nunca más quiero volver a jugar, o invitar a mis amigos a la casa, o comer pastel y caramelos".*

¡Ese día Jingles perdió por completo su alegría!

CAPÍTULO 2

Creyendo Las Mentiras

¿Cómo podemos ayudar a Jingles a recuperar su alegría? Uno de los problemas es que Jingles ha creído muchas mentiras. El señor Soplón no le dijo la verdad y Jingles piensa que los adultos siempre dicen la verdad.

¡Vamos a una aventura a descubrir la verdad que ayudará a Jingles a recuperar su alegría!

Quiero presentarte a la princesa Gracia, su padre es el Rey quien ha dado a la princesa poderes especiales. Uno de los poderes de la princesa Gracia es el súper *detector de mentiras*. Este poder es muy importante ya que el *gran impostor*[1] vive aquí en la tierra y vino para matar, robar y destruir[2] a los hijos del Rey. El *gran impostor* envía a sus súbditos, los monstruos de la mentira para mantenernos alejados del Rey quien quiere adoptarnos. La princesa Gracia busca las pistas que la ayudan a encontrar al gran impostor y sus mentiras. Si conocemos la verdad nos sentiremos mucho mejor, tal vez hayas oído la frase que dice, "la verdad nos hace libres"[3].

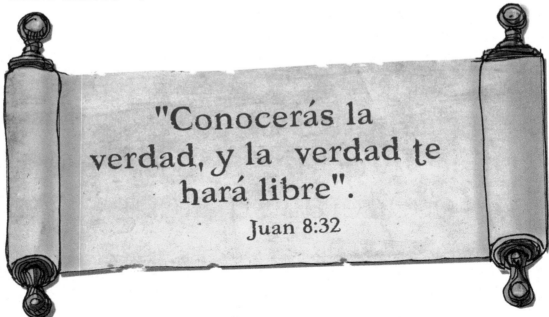

"Conocerás la verdad, y la verdad te hará libre".

Juan 8:32

Esto significa que si creemos las mentiras del *gran impostor* no podemos disfrutar de las cosas lindas que nos suceden todos los días. Creer en una mentira nos deja muy tristes. El Rey y la princesa Gracia desean que tú, Jingles y Selena puedan ser libres para jugar, aprender, sonreír y disfrutar de

El Rey te ama y es bueno siempre.

todas las cosas lindas, creciendo para llegar a ser todo lo que el Rey preparó para ti. El Rey tiene un plan muy especial para rescatarnos porque nos ama muchísimo[4].

En realidad todas las personas que han sido adoptadas por el Rey son princesas y príncipes. Si quieres ser hija del Rey y una princesa puedes leer la oración al final de la página y dile al Rey como te sientes, ¡es muy fácil!

Querido Rey de los cielos,
hay muchas cosas que no
entiendo, pero deseo ser
adoptada por ti y ser tu
princesa. Yo sé que a veces
hago cosas malas y tengo
un mal comportamiento,
por favor perdóname. Dame
un corazón como el tuyo.
Enséñame más acerca de ti
y sana mi dolor. Yo quiero
ser tu princesa y vivir en tu
reino para siempre. Amén.

¡Ahora tú también eres una princesa!

¿Sabías que el Rey está muy enojado con el señor Soplón por lastimar a Jingles? Él dijo en su gran libro La Biblia en Mateo 19:14: "dejen que los niños vengan a mi porque a ellos les pertenece mi reino"[5] *(adaptación libre)*. Tal vez el señor Soplón no vaya a prisión por lo que hizo, sin embargo el Rey sabe el daño que el señor Soplón ha causado y debido a ello tendrá consecuencias. El Rey Padre no solo nos devolverá todo lo que el *gran impostor* nos ha robado pero también nos ayudará a sanar y a encontrar la alegría que él mismo puso en nuestros corazones desde el momento que nos creó. Una de las estrategias que el *gran impostor* usa para robarnos la alegría es la de poner mentiras en nuestros pensamientos, entonces nos sentimos mal y rechazados. ¡Pero, no te preocupes! El Rey envió a la princesa Gracia para ayudar a Jingles a identificar las mentiras y encontrar la verdad, ¿Podrías ayudarlas a encontrar las pistas que las lleven a la verdad?

Jingles tiene a cuatro monstruos mentirosos atacándola:

La mentira de vergüenza sin-vergüenza: "tú eres mala".

Vergüenza sin-vergüenza susurra en la mente de Jingles "tú eres mala", y esto le causa mucho dolor. Este monstruo quiere engañar a Jingles y que ella se odie a sí misma. El trabajo de *vergüenza sin-vergüenza* es evitar que Jingles pueda ver lo importante que ella es para su familia, sus amigos y para el Rey. El quiere que Jingles se oculte detrás de una máscara al igual que él para que así nadie nunca conozca quien es ella en realidad, quiere que crea en su corazón y en su mente que ella no es importante por lo que sucedió en la casa del señor Soplón, ¡esto es una mentira!

La mentira de cuso-acusador "Es tu culpa".

Cuso-acusador, repite "es tu culpa, es tu culpa" en la mente de Jingles. Este horrible monstruo quiere robar para siempre la alegría de Jingles. Haciéndola creer que lo que el señor Soplón hizo es culpa de ella. El *gran impostor* envía a su agente especial *cuso-acusador* para que llene el corazón de Jingles con la mentira de que ella es culpable, pero el Rey dice que Jingles no es culpable de nada, que ella es una hija amada del Rey[6]. ¡Debemos ayudar a Jingles a encontrar la verdad y a recuperar su alegría!

La mentira de ante-repugnante: "Tú estás sucia".

En la mente de Jingles *ante-repugnante* dice: "tú estás sucia", de manera que ella quiere vivir bañándose constantemente con jabones súper poderosos. *Ante-repugnante* quiere que Jingles se sienta constantemente sucia por las cosas horribles que le hicieron. El *gran impostor* y *ante-repugnante* son bien crueles y están usando esta tremenda mentira. Ellos saben que el Rey Padre ama a Jingles así como ella es y que él quiere sanar todo su cuerpo, su mente y su corazón[7]. ¡Debemos ayudar a Jingles y a la Princesa Gracia a pelear contra este roñoso monstruo!

La mentira de cierto-desconcierto: "Disfrutaste del juego".

Cierto-desconcierto repite y repite en la mente de Jingles: "disfrutaste del juego". Este monstruo llamado *cierto-desconcierto* es experto en confundir todo lo que pensamos.

Si Jingles cree y acepta esta mentira que dice que ella disfrutó del juego entonces también creerá en la mentira de que su alegría se ha perdido para siempre y vivirá triste por el resto de su vida. Si una princesa cree estas mentiras entonces siempre tomará decisiones que la pondrán triste.

Debemos tener cuidado con este reptil mentiroso que se llama *cierto-desconcierto* porque es astuto y perverso.

Veamos nuevamente la historia y como podemos ayudar a Jingles y a la princesa Gracia a derrotar a estos monstruos mentirosos con *la espada de la verdad.*

Tú puedes ayudar a la princesa Gracia y a Jingles a derrotar a los monstruos mentirosos con la Espada de la Verdad.

El decreto del Rey en 2 de Corintios 10:4-6 dice que una de las armas que el *gran impostor* usa contra nosotros es la de darnos pensamientos falsos, que no son verdad[8]. En esta batalla, debemos escuchar y creer solamente lo que el Rey nos dice.

CAPÍTULO 3

Mentira No. 1 "Soy Una Niña Mala"

El monstruo *vergüenza sin-vergüenza* susurra en la mente de Jingles "soy mala". Esta bestia horrible y cruel repite mentiras espantosas. Cuando una princesa se siente avergonzada no buscará al Rey Padre. La princesa tratará de esconder todos sus sentimientos y pensamientos de su familia, de sus amigos y del Rey Padre.

El monstruo vergüenza sin-vergüenza te obliga a guardar secretos y a que te sientas avergonzada.

Si Jingles cree en esta mentira, esto la hará sentirse muy triste y sola. Al mantenerse alejada del Rey Padre que la creó y de todos aquellos que la aman tanto, nadie podrá ayudarla a ver las mentiras que ha creído. La verdad es que su Padre el Rey la creó *perfecta y maravillosa* como dice su decreto en Salmos 139:14[9]. Nada puede cambiar el amor del Rey por sus princesas[15].

La verdad es que Jingles es muy amada y el Rey la creó perfecta y maravillosa. Él la ama y nada podrá cambiar eso.

La princesa Gracia ayudará a Jingles a descubrir la verdad, pero veamos como *vergüenza sin-vergüenza* coloca mentiras en la mente y el corazón de Jingles. ¿Recuerdas en la historia cuando el señor Soplón le dice a las niñas?: "Les gustará esta película", pero cuando Jingles piensa en las escenas que vio se siente avergonzada y culpable. Ella recuerda haber mirado con mucha curiosidad las escenas y lo que las niñas estaban haciendo.

Vergüenza sin-vergüenza quiere que Jingles se sienta avergonzada y se esconda detrás de una careta como lo hace él.

Así que Jingles piensa que el señor Soplón tenía razón, *me gustó la película porque presté mucha atención a lo que estaba pasando.* Aunque la película hizo que Jingles se sintiera culpable y avergonzada, ella se quedó mirando todas las escenas. Así que la conclusión es, piensa Jingles, "soy una niña mala".

Vergüenza sin-vergüenza es cruel y fuerte, siempre anda con una careta y quiere que Jingles, quien es una princesa así como tú, se sienta avergonzada y culpable. Vamos a destruir a este monstruo horrible, vamos a sacar sus mentiras de nuestra mente con la espada de la verdad.

¿Cómo se derrota a un monstruo mentiroso? Este monstruo es horrible, cruel y parece muy fuerte, además Jingles cree que nunca podrá ser "valiosa" nuevamente. La princesa Gracia pelea con los monstruos mentirosos revelando la verdad, no existe ningún monstruo que pueda sobrevivir a la verdad.

¿Cuál es la verdad? ¿Crees que Jingles es una niña mala?

La princesa Gracia dice: "solo porque Jingles siguió las instrucciones de un adulto, no significa que a ella le gustó lo que vio en la película, esto no hace de Jingles una niña mala". La curiosidad forma parte de las niñas como Jingles, Selena y tú. Solamente con la ayuda de adultos responsables las niñas pueden saber y entender que tipo de películas y libros de aprendizaje son saludables y ayudan a aprender.

> "Si alguien te toca de forma inapropiada o te obliga a que tú le toques, eso nunca sería tu culpa".
>
> -El Rey

La princesa Gracia dice: "busquemos las pistas que nos ayuden a encontrar la verdad. Debemos derrotar a *Engañador* el monstruo de la mentira que quiere apagar toda la música que Jingles tiene en su corazón. No podemos permitir que esta mentira se apodere por completo del corazón de Jingles, ella fue creada para ser una princesa".

Leamos la historia en las páginas 6 al 14 para encontrar las pistas:

PISTA - ¿Quién eligió la película y la puso en el reproductor de películas?

PISTA - ¿Quién se sentó en medio de Jingles y Selena para así poder tocarlas a las dos?

PISTA - En la página 12 leemos: "Jingles no se sentía especial, ella quería correr y esconderse, pero sus piernas parecían estar paralizadas. Nunca antes Jingles había sentido tanto miedo como en ese momento". Si Jingles quería correr, ¿significa esto que quería mirar la película?

PISTA - ¿Por qué crees que a Jingles le daba vueltas el estómago?

PISTA - ¿Qué crees que sentía Jingles en ese momento de querer esconderse?

PISTA - ¿Quién es el culpable de lo que sucedió?

LA VERDAD – El señor Soplón le contó a Jingles que Selena y él jugaban este juego todas las tardes después de la escuela. Durante la película, cuando Selena tenía la mirada perdida "como en trance" sin sonreír, ni mirar a nadie, con una expresión de tristeza significa que ella no disfrutaba de lo que estaba pasando. El señor Soplón es un mentiroso al decir que "Selena disfruta del juego". **La verdad es que ella odia que su padrastro la toque de esa manera y haga que ella lo toque a él.**

LA VERDAD – El señor Soplón había elegido y preparado la película con anticipación. Era responsabilidad del señor Soplón cuidar de las niñas y proveer un ambiente seguro y alegre para ellas. Sin embargo, las *engañó y mintió* preparando una rica merienda y un juego divertido con las almohadas para convencer a Jingles que el "juego de tocarse" también sería divertido.

LA VERDAD – El hecho de que a Jingles le dieron ganas de correr, esconderse y le dio vueltas el estómago realmente significa que no disfrutó ni un segundo de lo que el señor Soplón estaba haciendo.

LA VERDAD – Realmente fue el señor Soplón quien estaba haciendo lo malo, y él lo sabía porque le dijo a Jingles que debería "mantener el secreto". El Rey Padre se enoja mucho cuando hay personas malvadas hacen daño a sus hijos[10].

LA VERDAD – La princesa Gracia dice: "He hablado con mi Padre el Rey y él me dijo, Tú, Selena y Jingles han sido maravillosamente creadas[9]. Tú eres preciosa a mis ojos, y a los ojos de tus padres y tus amigos. Jamás estuvo en mis planes que te lastimaran[11], tristemente vives en un mundo donde la gente es lastimada. Te obligaron a hacer algo muy malo y feo lo cual te dejó lastimada y triste. Tú eres preciosa y muy valiosa para mí".

Así que la princesa Gracia exclama: ¡Vamos a destruir al monstruo *vergüenza sin-vergüenza* con la espada de la verdad, di bien fuerte - ¡SOY UNA NIÑA BUENA, PRECIOSA Y COMPLETA!. Los niños en China todavía no te escuchan. Dilo más fuerte - ¡SOY UNA NIÑA BUENA, PRECIOSA Y COMPLETA!. Cada vez que *vergüenza sin-vergüenza* quiera convencerte con sus mentiras, pelea con todo tu corazón y, grítalo bien fuerte - ¡SOY UNA NIÑA BUENA, PRECIOSA Y COMPLETA!

SOY UNA NIÑA BUENA

SOY BUENA

SOY BUENA

"SOY BUENA"
¡GRÍTALO BIEN FUERTE!

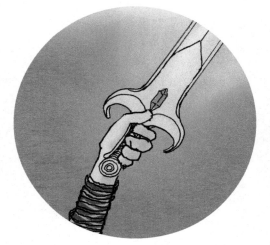

Vergüenza sin-vergüenza recibe un fuerte golpe y la verdad al ser expuesta lo deja débil y sin poder. El espejo que él utilizaba para hacer que Jingles viera cosas malas en ella ha sido destruido. Observa bien la espada de Jingles, tiene la joya que era del monstruo engañador y ahora ella recupera la fuerza que él trató de robar con sus mentiras.

CAPÍTULO 4

Mentira No. 2 "Es culpa mía"

Ahora que la princesa Gracia pudo ayudar a Jingles a entender que ella no es una niña mala, ella se siente un poco mejor. Pero el Rey está un poco intranquilo porque él sabe que hay otros monstruos mentirosos atacando a Jingles con más mentiras. *Cuso-acusador* es muy cruel y tan horrible como *vergüenza sin-vergüenza. Cuso-acusador*[12] disfruta mucho susurrando mentiras en la mente y corazón de los niños haciéndoles sentirse culpable de las cosas malas que suceden como cuando Mamá y Papá discuten y pelean.

¡Te amo mucho
más de lo que
puedes imaginarte!
-El Rey

Jingles recordaba que el señor Soplón le dijo: Yo sabía que disfrutarías del "juego" por la manera fuerte con la que me abrazaste y como me sonreíste cuando te di galletitas y por la forma como coqueteaste cuando jugamos a la guerra de almohadas. Jingles no estaba segura del significado de la palabra coquetear, lo que si sabía era que todo había sido muy divertido hasta la guerra de las almohadas y Jingles recordaba lo feliz que se sintió en ese momento, *quizás es verdad tal vez yo soy culpable de lo que pasó*. Así es como el *engañoso* convence a Jingles que la culpa era toda suya..

Pero la princesa Gracia exclama fuertemente: ¡ESA ES LA MENTIRA MAS ENGAÑOSA QUE HE OIDO HASTA AHORA! Más grande que todas las galletitas de chocolate que hay en el mundo y si las colocas una al lado de la otra cubriría la tierra completa millones de veces. Simplemente quiero decir que, esta es una mentira bien grande. ¿Puedes notar que a la princesa que está escribiendo este libro le encantan las galletitas de chocolates? Realmente me encantan, pero no tanto como mi amor por Jingles, y no más de lo que amo a las princesa que está leyendo este libro. Recuerda el decreto del Rey en Juan 3:16 que dice que él te ama muchísimas veces más de lo que nosotros somos capaces de amarnos los unos a los otros[13]. ¿Cómo podemos ayudar a Jingles para que ella comprenda que lo que sucedió no fue culpa de ella?

¿Alguna vez te haz sentido súper-dúper CULPABLE?

¿Qué puede hacer la princesa Gracia para convencer a Jingles que la acción del señor Soplón no es culpa de ella?

Ayudemos a Jingles a combatir esas horribles mentiras encontrando la verdad, esto la ayudará a sanar su corazón y su mente y ya no se sentirá supremamente culpable. ¿Por qué se siente tan culpable? Vamos a preguntarle y resolveremos el misterio.

¿Por que Jingles se siente tan culpable?

La princesa Gracia dice: "Hermosa Jingles, veo que aún no has recuperado tu alegría. ¿Quieres contarme porque piensas que lo sucedido con el señor Soplón es culpa tuya? Porque te diré que lo que pasó NO es tu culpa.

Jingles responde: "Yo sé que es mi culpa porque me quedé sentada ahí sin hacer nada. Tenía que haber salido corriendo para mi casa, tenía que haberme defendido con patadas y trompadas. No debí haber aceptado las galletitas, tampoco dejar que me abrazara".

"Estoy muy orgullosa de ti por haber expresado cómo te sientes", le contesta la princesa Gracia. "Tienes muchas emociones y pensamientos dando vueltas en tu cabeza, y el Rey Padre me envió para ayudarte, para que puedas salir victoriosa de esta situación. El Rey Padre ve tu corazón herido y quiere sanar tus heridas[11]. Si me cuentas cómo te sientes esto ayudara a que la verdad salga a la luz y podrás recuperar tu gozo y alegría, porque es así como fuiste creada por el Rey Padre, una princesa con mucha alegría, llena de júbilo desbordante".

"Yo puedo ver tu corazón y sanar tu dolor".
-El Rey

Entonces Jingles contesta: Está bien, voy a contarte lo que escucho al recordar lo que pasó, y todo parece ser cierto.

- No tenía que haber ido a la casa de Selena.

- No tenía que haberme sentado al lado del señor Soplón.

- Tenía que haberme cambiado de lugar cuando su mano se apoyó en mi pierna.

- Tenía que haber salido del cuarto cuando vi a las niñas desnudas en la televisión.

La princesa Gracia tiene un súper detector que el Rey Padre le proveyó para ayudar a las niñas como Jingles, por lo cual la princesa Gracia dice: "Creo que hay algo más que tienes miedo de decir, no podremos vencer al monstruo *cuso-acusador* hasta expresar en voz alta todas las mentiras que él quiere que creamos. ¿Qué otros pensamientos hacen que te sientas triste? Ten la seguridad que estás a salvo y te amo".

"Te ayudaré a descubrir todas las mentiras de manera que conozcas la verdad". -El Rey

Jingles se niega a mirar a la princesa Gracia, y finalmente en sollozos expresa: "tenía que haber gritado cuando vi a al señor Soplón poner su mano sobre... tenía que haberme dado cuenta que la estaba lastimando... tenía que haber..." hasta que finalmente Jingles rompió en llanto.

¿Cuáles son las cosas que tú piensas que debiste haber hecho?

La princesa Gracia la abrazó y con cariño le dijo: "Un día entenderás que nada de esto fue tu culpa, comprenderás que eres una princesa y lo mucho que tu Padre el Rey te ama, comprenderás lo valiosa que eres para él y para todas las personas que te aman tanto. No solamente te sientes culpable por lo que te pasó a ti, sino que también te sientes culpable porque Selena fue lastimada. Estas son mentiras gigantes que molestan tu corazón, solamente nuestro Padre Rey tiene la fuerza suficiente para ayudarnos a derrotar a este monstruo *cuso-acusador*. El Rey Padre nos podrá ayudar.

¿Sabías que él decretó que nada puede separarnos de su amor? Ni la muerte, ni las distancias, ni los monstruos, ¡Nada![15]. Aunque tomará un poco de tiempo, nuestro Padre el Rey me envió para acompañarte, y también a tu familia de confianza y a tus amigos que te aman para que juntos podamos ayudarte a recuperar tu alegría tintineante.

¿Qué mentiras estás creyendo en tu corazón?

Ayudemos a Jingles a descubrir la verdad que está escondida bajo todas las mentiras que se han apoderado de su corazón. Es muy fácil ver que el *cuso-acusador* es un mentiroso muy listo. Va por ahí sembrando miles de mentiras, y como es tan astuto será un monstruo difícil de matar con la espada de la verdad. ¡Tendremos que darle muchos golpazos con la *espada de la verdad* para acabar con él! Jingles es muy valiente porque ha expresado lo que está lastimando su corazón. Jingles es súper valiente porque al recordar lo que le sucedió ha decidido tomar el control de sus sentimientos. Nuestro Padre El Rey dice que al controlar nuestros pensamientos podemos luchar contra los enemigos que tratan de destruirnos.[16]

La princesa Gracia dice: "Busquemos las pistas que nos ayudarán a descubrir la verdad". Cuando el señor Soplón le dice a Jingles que ella le había dado permiso para tocarle 'al abrazarlo muy fuerte y al sonreírle cuando él le dio galletitas y al coquetearle cuando jugaron a la guerra de almohadas'.

PISTA: Busquemos en la página 13 ¿Crees que Jingles con su comportamiento estaba invitando al señor Soplón a que la tocara?

PISTA: ¿Crees que por darle un abrazo a alguien estás invitándole a tocarte de forma obscena?

PISTA: ¿Comer galletitas hace a todo el mundo sonreír? Todas las princesas sonríen si comen sus galletas preferidas.

PISTA: Notaste en la página 11 que dice: "El señor Soplón siempre le da regalos especiales o golosinas a Jingles". ¿Por qué hacía eso?

PISTA: Busquemos en la página 11 y 13: Mira la cara de Jingles, ¿te parece que ella está contenta que el señor Soplón la esté tocando indebidamente, o tal vez se ve realmente asustada?

PISTA: ¿Crees que Jingles todavía está contenta y emocionada por su fiesta de cumpleaños? ¿Por qué no?

Ayudemos a la princesa Gracia enseñarle la verdad a Jingles:

LA VERDAD: "Jingles, eres un niña llena de amor y es por eso que le diste un abrazo al señor Soplón y estabas muy contenta de poder jugar con Selena. El señor Soplón siempre ha sido muy amable contigo y no existía ninguna razón para que te comportaras indiferente con él. Si abrazamos a alguien NO significa que estamos permitiéndole a la otra persona que nos toque de forma irrespetuosa".

LA VERDAD: "Jingles, estabas contenta y sonriente al comer las galletitas de chocolate porque todas las princesas preciosas como tú se ponen felices al comer chocolate, y sabes que el chocolate es lo más delicioso que hay en el mundo. Cuando una princesa sonríe no es porque le da permiso a la otra persona a que le toque sus partes íntimas y le muestre una película que la haga sentir avergonzada".

LA VERDAD: El señor Soplón le daba "regalos especiales y golosinas" a Jingles para convencerla de que él realmente se preocupaba por ella. Soplón también quería que Jingles guardara el secreto y los regalos que ella recibió de él, esa era una forma de hacerla sentirse culpable por lo que sucedió.

LA VERDAD: Jingles, al jugar a la guerra de las almohadas con el señor Soplón y Selena, te gustó mucho y reíste bastante porque nuestro Padre Rey nos dio la habilidad de reír y divertirse. Tu risa es el reflejo de la alegría que llevas dentro y es lo que hace felices a los que te aman. Nuestro Padre Rey anhela oírte reír. Tu alegría encantadora te mantiene saludable y segura del cuidado de los que te aman. Hay personas con la mente enferma que muchas veces toman las decisiones equivocadas, el señor Soplón tomó decisiones incorrectas al manosearte a ti y a Selena de la forma en que lo hizo, y exponerlas a las dos a una película obscena que les hizo sentirse mal.

El Rey dice que el señor Soplón es como el cuso-acusador y está en muy SERIOS PROBLEMAS por haber lastimado a Jingles.

Lo que sucedió no es culpa tuya princesa Jingles, no hiciste nada malo y el señor Soplón está en muy serios problemas por todo lo que hizo.

La princesa Gracia saca la *espada de la verdad* y dice: Jingles es hora de que tomes esta *espada de la verdad* y practiques para la batalla donde vencerás a los enemigos mentirosos. Yo estoy aquí para ayudarte, y será una batalla difícil pero hay otras princesas que están orando por ti y saben que obtendrás la victoria. La verdad es que **NADA DE LO QUE SUCEDIÓ ES CULPA TUYA.** Tienes que gritarlo bien fuerte, y creer en tu corazón las palabras que dices. ¡Vamos Jingles, grita con voz alta!

Recuerda sacar tu Espada de la Verdad para pelear contra estos monstruos mentirosos.

Jingles levanta la *espada de la verdad* y tímidamente dice: "No fue culpa mía". La princesa Gracia responde: "Este es un buen comienzo Jingles, ahora grítalo más fuerte para que el monstruo *cuso-acusador* te escuche".

Jingles puede sentir que poco a poco va recuperando su alegría desbordante.

De repente, Jingles con una gran voz dice: **"NO ES MI CULPA LO QUE EL SEÑOR SOPLÓN HIZO, NO ES MI CULPA".** En ese instante Jingles sintió como recuperaba un poquito su alegría, y pensó: *"Realmente declarar la verdad me ayuda, me siento mejor"*.

Ahora tú, princesa _____, podrías también decir. "NO es mi culpa".

CAPÍTULO 5

Mentira No. 3: "Soy sucia"

Que excelente trabajo hicimos al vencer a *cuso-acusador*, este monstruo sabe que el Rey ama a sus hijos y por esto odia al Rey. Desafortunadamente, el *cuso-acusador* y *vergüenza sin-vergüenza* seguirán tratando de destruir a los hijos del Rey y lo harán durante toda la vida, pero con el tiempo será más fácil vencerlos, además siempre tendremos ayuda para luchar contra ellos. ¿Sabes que el Rey ama a Selena y también tiene un plan perfecto para ayudarla y rescatarla?

¡Oh no! La princesa Gracia siente que otro monstruo se acerca con sus repugnantes mentiras, *ante-repugnante* anda merodeando con más mentiras. Ella, la princesa Gracia tiene un talento especial y puede sentir cuando estas mentiras se acercan porque ella también fue víctima de alguien como el señor Soplón. La princesa Gracia recuerda como se sentía, muy confundida y culpable a la vez, y piensa que así como ella, Jingles se siente muy confundida. La princesa Gracia dice: "Recuerdo que algunas veces cuando las personas adultas tomaban la decisión incorrecta, de tocarme mis partes privadas no me hacían sentir tan mal, y por eso me sentía sucia y repugnante, y me veía como la niña más horrible del mundo. ¡¡En ese tiempo no sabía que era una princesa!!"

Ante-repugnante tratará de convencerte de que estás sucia y que nunca podrás ser limpia.

Jingles escucha el susurro del monstruo *ante-repugnante* que repite una y otra vez: "soy sucia y repugnante".

Aunque Jingles se restriega con mucha fuerza no se siente limpia. Las mentiras de *ante-repugnante* han llenado la mente y el corazón de Jingles. ¡Busquemos ayuda pronto!

La princesa Gracia sabe que *ante-repugnante* está

llenando de mentiras el corazón de Jingles, porque en realidad ella es preciosa, perfecta y pura. Puedes ver lo que dice el decreto del Rey en Hechos 15:9. La princesa Gracia conversa amorosamente con Jingles y le dice: "Este *ante-repugnante* es un ser horrible, sucio y mugroso. Él y sus mentiras son bien apestosas pero tú y Selena y todas las otras princesas que fueron tocadas irrespetuosamente por adultos que tomaron decisiones incorrectas son preciosas y limpias. El simple hecho que tu piel no gritó ¡que asco, no me toques! no significa que eres una niña mala y sucia. Más bien significa, que tu cuerpo reacciona a través de la piel, a los estímulos que percibe del mundo que le rodea".

¿Qué te ayuda a sentirte limpia y pura?

La princesa Gracia sabía que Jingles no entendería, pero también sabía que podría explicárselo de tal forma que fuera fácil de entender. Gracia aprendió mucho de su sabio Padre el Rey, y quería enseñarle a Jingles y a Selena cosas muy importantes de nuestro maravilloso cuerpo, así que lo explico de la siguiente forma: "Jingles, te sientes desagradable y sucia porque en cierto momento cuando el señor Soplón te tocó y te acarició tuviste reacciones placenteras". Busquemos la verdad, ¿por qué? porque sabemos que con la verdad anulamos las mentiras.

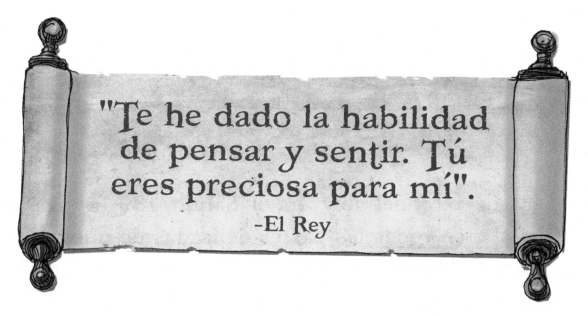

"Te he dado la habilidad de pensar y sentir. Tú eres preciosa para mí".
-El Rey

¿Recuerdas que nuestro Padre el Rey en su decreto dice que fuimos maravillosamente creados? Esto significa que al crearte a ti, a Jingles y a Selena, el Rey los creó con habilidades para sentir, por eso sabemos reconocer el frío y el calor, lo áspero y lo suave. Nuestro Padre el Rey nos creó con un cuerpo que puede percibir muchas cosas y a veces no podemos controlar. Por ejemplo, si ponemos la mano sobre algo caliente no podemos controlar el dolor que sentimos. O si tomamos un pedazo de hielo, ¿Puedes controlar y sentir calor en vez de frío? ¡Por supuesto que no!

¡El Rey colocó detectores especiales en tu piel para ayudarte a estar bien y a salvo!

El decreto del Rey en el Salmo 139:13 dice que él creó todas las partes delicadas de nuestro cuerpo[17]. Uno de los propósitos de los detectores que el Rey puso en nuestro cuerpo es para protegernos del peligro. Si pones tu mano sobre el fuego, tu cerebro dice: "esto está muy caliente, me duele, apártate". Algunos otros detectores de nuestro cuerpo están ahí para hacernos sentir bien. El Rey nos dio la habilidad para sentir dolor y también cosas placenteras. Jingles, ¿Recuerdas cuando ves a tu mejor amiga Selena y ella corre a darte un abrazo? O ¿Cuando estás sentada muy cerca de tu Mamá y ella te abraza y te sostiene? Nuestro Padre el Rey quiere que los abrazos y el contacto con otras personas nos hagan sentir bien, un sentimiento de que somos amados y protegidos.

Ahora que Jingles entiende como su cuerpo fue creado derrota las mentiras de ante-repugnante.

Lo que sucede también es que nuestro cuerpo no sabe diferenciar cuando la caricia es de una persona que nos ama y protege o de una persona que nos hará daño como el señor Soplón. Nosotras las princesas no podemos controlar los buenos sentimientos de la misma forma que no podemos controlar el dolor que sentimos. El Rey nos creó con estos sentimientos para protegernos y es algo bueno.

Jingles comprende mejor como su cuerpo trabaja y está muy agradecida por la princesa Gracia y la sabiduría con la cual le enseña. Ahora Jingles está lista para destruir a *ante-repugnante* y sus mentiras. Sin esperar que la princesa Gracia dijera nada, Jingles grita a gran voz: **"Estoy muy limpia y soy el reflejo de mi Padre el Rey"**.

¿Puedes decir?, "Yo soy limpia, pura, y radiante".

La princesa Gracia está muy orgullosa de Jingles, que ya no se siente sucia y ya no cree las mentiras del *ante-repugnante*.

CAPÍTULO 6

Mentira #4 "Yo Disfruté Del Juego"

El monstruo más peligroso es cierto-desconcierto. El Padre Rey en su decreto de Salmos 5:9 nos avisa que este enemigo monstruoso quiere destruir a todas las princesas[18]. Cuando *cierto-desconcierto* se acerca a Jingles muy sutilmente susurra a su mente mentiras que la dejan muy confundida. Jingles conoce la verdad pero las mentiras sutiles de *cierto-desconcierto* hacen que sea bien difícil distinguir la verdad de la mentira. En ocasiones este despreciable monstruo susurra verdades pero muy gradualmente todo se convierte en mentira, llenando de confusión la mente y el corazón de Jingles. Esto ocasionará que Jingles no solo se desprecie a si misma sino también al Rey.

¡Cierto-desconcierto es el monstruo más peligroso! Mezcla un poco de verdad con mentiras despreciables de manera que Jingles se quede completamente confundida.

El trabajo principal de *cierto-desconcierto* es confundir a todas las princesas del Rey y alejarlas de él para siempre. Con sus mentiras *cierto-desconcierto* llena de dolor y tristeza los corazones de las princesas haciendo que ellas no puedan disfrutar de los regalos preciosos que el Rey Padre les ha dado. Si Jingles hace caso a las mentiras de *cierto-desconcierto* terminará aborreciendo su vida.

Jingles no tendrá deseos de hacer nada porque

69

¡perdió su alegría y "tintineo" por completo! No querrá jugar al baloncesto, o preparar galletitas con su mamá, o ir de compras a las tiendas, o hacer las tareas con sus amigas. Creer en las mentiras hace mucho daño a las princesas como Jingles, porque les va mal en la escuela, y renuncian a tantas cosas que antes les gustaban porque llegan a creer que no son importantes para nadie. ¡Esta es una gran mentira!

¿Qué ha cambiado en tu vida después del abuso? Pídele al Rey que sane tu dolor y te devuelva todo lo que te han quitado.

Veamos como *cierto-desconcierto* utiliza la verdad y crea una mentira que trae confusión y tristeza. ¿Recuerdas cuando el señor Soplón dijo?: "Yo sabía que querías que te tocara por el fuerte abrazo que me diste". La verdad es que Jingles confiaba en el señor Soplón y por eso lo abrazó, porque lo conocía hace mucho tiempo y él siempre había sido muy amable con ella. Jingles confiaba y amaba al señor Soplón. La mentira está en que Jingles quería que el señor Soplón le tocara sus partes privadas, está es una mentira que él creó porque tenía intenciones de hacer algo malo y deshonesto. Así que *cierto-desconcierto* seguirá utilizando la verdad: Jingles le dio un abrazo al señor Soplón, lo cual es verdad y sobre esto las mentiras se van añadiendo, creando confusión en la mente y el corazón de Jingles. Por esta razón, Jingles seguirá sintiéndose culpable y avergonzada por lo que sucedió.

¿Princesa, cuáles fueron esos pensamientos que se mezclaron con mentiras en el momento que esa persona te lastimó? -El Rey

Ahora vamos a analizar dos ejemplos de cómo el señor Soplón usó gestos amables y palabras agradables para ganar la confianza de Jingles, y como *cierto-desconcierto* puede usar esto para sembrar confusión en la mente y el corazón de Jingles y finalmente lograr que ella no confié en nadie, ni en el propio Rey, quien dice en un decreto que muy pronto *cierto-desconcierto* y todos sus cómplices serán arrojados al fondo del lago de fuego[20].

¡Aja! La princesa Gracia está tan enojada que tiene deseos de golpear a *cierto-desconcierto* bien fuerte en la cabeza.

Primero: En la página 12, el señor Soplón le dice a Jingles que ella es muy especial y por eso él quería ser su amigo muy "especial". La verdad es que Jingles si es muy especial, pero aquí hay un mensaje bien confuso. El señor Soplón le dice esto a Jingles no porque ella es importante para él, sino porque sus intenciones son malas y deshonestas, estaba siendo amable con Jingles porque quería mantener sus malas acciones en secreto y de esta forma confundió a Jingles. El secreto que el señor

Soplón no quería que nadie supiera es que él estaba haciendo cosas muy malas y lastimando a Jingles y Selena.

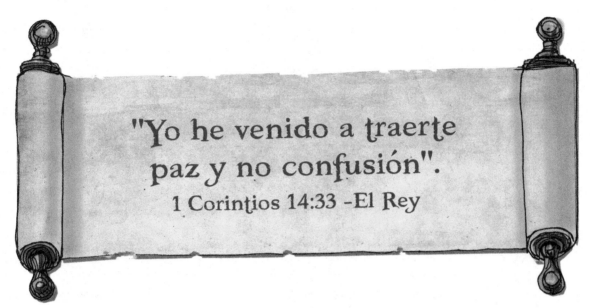

"Yo he venido a traerte paz y no confusión".
1 Corintios 14:33 –El Rey

Cierto-desconcierto susurra a la mente de Jingles como si ella estuviera pensando: "Soy especial para el señor Soplón y los amigos especiales tienen secretos especiales". Pero Jingles se siente tan avergonzada, con mucho miedo y muy nerviosa. Compartir un secreto con una amiga puede ser algo muy especial, pero ¿qué sucede si este secreto duele y lastima? ¿puedes ver como *cierto-desconcierto* utiliza la verdad para confundir con la mentira?

"Nunca guardes secretos de tus padres o de alguna amiga con quien te sientes a salvo, ni siquiera si te da sentimientos desagradables". ¡Quiero que estés a salvo! -El Rey

Segundo: en la página 12 el señor Soplón dice: "Esto es lo que las niñas buenas hacen, y tú eres una niña muy buena". Nuevamente en esta ocasión, el señor Soplón utiliza palabras amables para que Jingles colabore en el acto malvado que él está planeando. Más adelante *cierto-desconcierto* utilizará estas mismas palabras para susurrar en la mente de Jingles frases como "soy una niña mala" o "si las niñas buenas hacen estas cosas no quiero ser una niña buena". Esto puede ocasionar que Jingles se sienta muy enojada consigo misma y recuerde lo que el señor Soplón le dijo, entonces *cierto-desconcierto* susurra a su mente: "Voy a ser una niña mala para siempre". Si *cierto-desconcierto* hace que Jingles piense de esta forma, esto es muy malo, porque Jingles puede llegar a hacerse daño o lastimar a otras personas. Hasta puede tratar de esconderse detrás de una armadura imaginaria para que así nadie vuelva a hacerle daño.

¿Alguna vez haz tratado de hacerte daño o de hacerle daño a alguien más debido al dolor y rabia que sentías? De ser así, pídele perdón a las personas que lastimaste y al Rey pídele también que te perdone y que sane tu dolor.

Princesa Gracia ¿Puedes ayudarnos? ¡Las mentiras del señor Soplón ahora las utiliza *cierto-desconcierto* repitiendo las palabras mentirosas

para tratar de hacer más daño a las princesas del Rey Padre! Si Jingles continua prestando atención a las mentiras esto puede destruir su alegría para siempre. Es necesario que Jingles tome control de sus pensamientos y se las presente al Rey Padre para que él mismo le enseñe la verdad[16].

Quizás cuando recuperes tu alegría desbordante, querrás ayudar a otras princesas a encontrar la verdad.

La princesa Gracia dice: "lo que más disfruto es ayudar a las princesas valientes a descubrir la verdad. Que sepan que sus corazones pueden recibir sanidad y que es posible recuperar por completo la alegría que fue arrebatada de ellas". Algunas de las mentiras que *cierto-desconcierto* susurra son difíciles de identificar, pero busquemos las pistas que nos ayudarán a descubrir la verdad. **"Al descubrir la verdad volveremos a tener alegría en nuestros corazones".**

Cuando el señor Soplón le dice a Jingles: Esto te va a gustar, ¿estaba el diciendo una mentira o una verdad?

PISTA: ¿Cuál fue la reacción de Jingles cuando el señor Soplón puso su mano debajo de su vestido?

PISTA: En la página 11 después de las palabras que dicen, "Jingles no se sentía especial", ¿que es lo que dice que Jingles quería hacer?

PISTA: Observa la expresión del rostro de Jingles en todas las ilustraciones, ¿Crees que Jingles estaba feliz o asustada?

LA VERDAD: En realidad Jingles se sentía tan asustada e incómoda con lo que estaba sucediendo que hasta su estómago le dolía, **de ninguna manera** le gustó lo que estaba pasando.

Cuando el señor Soplón le dijo a Jingles que ella no podía contarle a nadie sobre el "juego especial" que habían jugado porque esto le traería muchos problemas a Selena y alguien se la llevaría lejos a un lugar feo y peligroso, ¡estaba diciendo una mentira gigantesca!

PISTA: La pista más grande que podemos encontrar para descubrir la mentira del señor Soplón es cuando él dice que el juego es un "secreto" que nadie debe enterarse, ni siquiera hay que decírselo a Mamá o a Papá.

LA VERDAD: Todos los adultos saben que está mal que los niños mantengan secretos, especialmente de sus padres.

LA VERDAD: El señor Soplón usó refrescos y galletitas para ganarse la confianza de Jingles, porque él sabía que estaría en una problema gigantesco si Jingles le contaba a alguien todas las cosas horribles que le hacía a su amiga Selena y ahora también a Jingles.

Tengo una pregunta importante: ¿Crees que es más difícil para Jingles encontrar la verdad porque el señor Soplón no es un extraño? es alguien a quien ella conoce y en quien confía. ¿Crees que hubiera sido más fácil para Jingles descubrir la verdad si la persona que abusó de Jingles hubiera sido un extraño, o sea alguien a quien no se le consideraba un amigo?

La persona que te tocó irrespetuosamente ¿fue un extraño o alguien que tú conocías?

Cierto-desconcierto quiere que todos los hijos del Rey sufran así que susurra mentiras a la mente de Jingles diciendo: "No puedo contarle a nadie porque es culpa mía", o "No puedo contarle a nadie porque nadie me va a creer". ¿Porqué *cierto-desconcierto* susurra estas palabras a la mente de Jingles? ¿Será que los demás creen que el señor Soplón es muy amable e incapaz de hacer algo malo? o ¿tal vez es porque los adultos no creen que los niños dicen la verdad?

¿En algún momento tuviste miedo de que no te creyeran? Algunas personas quizás no te crean, pero el Rey sabe la verdad y te sanará.

Cuando las personas que amamos y en quien confiamos nos lastiman, es muy difícil entender porque lo hacen. No es fácil entender como alguien a quien amamos puede hacernos daño, y como es posible que en un momento estas personas puedan ser amables y atentas, pero también malvadas y peligrosas.

Cierto-desconcierto el experto en susurrar mentiras sabe estas cosas y utiliza lo que pensamos y sabemos para crear más dolor y confusión en nuestro corazón. Pero, ¿sabes una cosa?, nosotros sabemos como reconocer las mentiras que andan rondando en nuestra mente, porque somos muy inteligentes y valientes.

Cierto-desconcierto ya no tiene poder sobre Jingles.

Con la ayuda de la princesa Gracia, su amor y su sabiduría, Jingles ha encontrado la verdad y ahora entiende lo que sus emociones significan. Algunas veces nuestras emociones son el reflejo de las mentiras que se han metido a nuestra mente.

Finalmente Jingles toma su *espada de la verdad* y sabiendo que es una niña muy especial, y que la culpa de todo lo que sucedió la tiene el señor Soplón y no ella, proclama a gran voz: **"Soy la princesa Jingles y he encontrado la verdad"**.

Jingles lentamente descubre la verdad, al confiar en personas que la aman y que la ayudan a entender sus sentimientos, y a expresar los pensamientos negativos que a veces la confunden.

De esta misma forma Jingles, a lo largo de toda su vida, logrará mantener su alegría si alguna vez se encuentra en una situación que le causa tristeza.

Tomará un poco de tiempo pero
tú eres una princesa fuerte y
valiente y lograrás triunfar.
No siempre te sentirás como una
princesa, de manera que cuando
tengas alguna duda y sientes que
nadie te ama, recuerda lo que la
princesa Gracia te enseñó.
El decreto del Rey dice en
Génesis 1:27: "Fuimos creados a
la imagen del Rey y él nos ama".
¡Eres hermosa y una
joya preciosa!
-Tu Padre el Rey

CAPÍTULO 7

Ahora Que Sabes Que Eres Una Princesa

Has logrado la victoria y sabes cómo vencer a los monstruos mentirosos... ¡Buen trabajo! Es importante que sepas que estos monstruos estarán intentando convencerte con sus mentiras. Las voces de estos terribles monstruos hablarán en tu mente como si fueran tu propia voz

Mantén la Espada de la Verdad cerca de ti todo el tiempo.

¡La verdad realmente te hace libre!

y dirán cosas horribles y sus mentiras resonarán más fuertes cuando te equivoques.

Sin embargo, debes saber que *siempre* puedes buscar la ayuda del Rey hablando con él, y también podrás hablar con las personas en quienes confías, que sabes que te aman y están dispuestas a ayudarte. Es muy importante que siempre tengas cerca de ti la *espada de la verdad* para luchar como la princesa fuerte y valiente que eres. Pelearás y ¡obtendrás la victoria!

Si quieres aprender más sobre el amor incomparable del Rey hacia a ti y sobre su reino, lee el Apéndice V.

Lo Que Debe Y Lo Que No Debe Hacer

1) MANTENGA LA RUTINA

Regrese a la rutina normal lo más pronto posible. El mantener la rutina y llevar a cabo las actividades normales ofrecen a la niña un ambiente de seguridad y estabilidad. Puede ayudar a reducir el estrés y encaminarla a retomar control sobre su vida normal.

No consienta a la niña. Después de la revelación del trauma, permita un tiempo corto para recuperarse de la crisis. Sera más beneficioso para la niña no permitirle actitudes desobedientes, o la libertad de imponer nuevas reglas evitando la corrección y consecuencia normal de actitudes caprichosas. Debido al trauma se sentirá con la necesidad de complacer y consentirla permitiéndole actividades como faltar a la escuela, más tiempo frente a la televisión, o cualquier actividad que le "permita" escapar de las emociones desagradables. Estas son tácticas que en realidad pueden ayudarla a usted a "escapar" del camino difícil que queda por delante, especialmente si los días son difíciles.

2) RESPONSABILIDADES

Mantenga el mismo nivel de responsabilidad en relación a las tareas de la escuela, tareas en el hogar, etc. Evite ceder a situaciones en las cuales la niña utilice la excusa del abuso para evitar los compromisos que forman parte de la vida normal. Esto puede convertirse en mal hábito que puede influenciar en forma negativa en su vida de adulto. (Por experiencia personal puedo decir que podría escribir un libro sobre este tema).

No facilite pretextos por ella.

3) EXPRESIONES DE CARIÑO

Abrace a menudo a su niña, pero esté atenta al espacio que ella necesite. Puede ser que por un tiempo busque y necesite las expresiones de cariño de la madre y se mantenga alejada del padre, o viceversa.

No imponga expresiones de cariño a través del contacto físico. En ocasiones los padres instruyen a sus hijos a dar un abrazo a los tíos o tías. Esto puede convertirse en una situación muy desagradable para una niña que ha sido abusada o violada. Los niños deben tener la oportunidad de decidir a quién y cuándo expresan cariño a través del contacto físico. Esto si debe dejarse al criterio de la niña.

4) APOYO EXPRESADO CON PALABRAS

Exprese verbalmente su confianza. ¡Las afirmaciones declaradas en voz alta son de vital importancia! Reafirme con palabras que el abuso no fue culpa de la niña. Exprese con frecuencia que sus sentimientos para con ella no han cambiado. Esto puede parecer ilógico, se supone que su hija sabe y conoce los sentimientos de sus padres hacia ella, pero en estos momentos miles de pensamientos y sentimientos gobiernan la mente de su hija, y muchos de estos sentimientos y pensamientos no tienen lógica o sentido. Su hija puede creer algo en un momento y al siguiente estar convencida que es una mentira.

No haga comentarios negativos y acusadores como por ejemplo: ¿por qué no corriste, o escapaste?, o ¿por qué no me lo dijiste antes?, estos comentarios sencillamente harán más daño que bien, debo *enfatizar* este punto. Este tipo de observaciones reflejan culpabilidad y ocasionarán que su hija se sienta más avergonzada provocando más daño que bien. Pensamientos de culpabilidad ya forman parte de lo que está en la mente de su hija. Los niños son instruidos a obedecer a los adultos. Sea sensible a lo que está sucediendo, tal vez su hija fue amenazada a mantener el secreto, forzándola a vivir una situación que escapaba su control. No existen las buenas decisiones para un niño en esta situación, ya que en el momento pudo haberse sentido atrapado, temeroso y sobre abrumado por la realidad y sus emociones.   En retrospectiva las situaciones tienen un entorno totalmente diferente.

5) PRIVACIDAD

Tenga mucho cuidado cómo y con quien comparte lo sucedido. ¡Esto es muy importante!. Su hija debe tener el control sobre quien conoce, o no, la historia de lo que sucedido. Pregúntele si puede compartir la historia. En ocasiones sentirá la necesidad de hablar con alguien, familiares o amigos, pero sea muy prudente. En mi historia personal, otros adultos sabían que lo sucedido no fue culpa mía, yo estaba convencida de que era responsable de lo que pasó, de tal forma que cuando mi historia era contada una y otra vez, la vergüenza y culpa en mi crecían. A medida que la historia era contada, parecía que hubiera sido yo quien había abusado de la otra persona y había participado voluntariamente del acto sexual. Desde la edad de 8 años viví convencida de que era una prostituta.

No asuma que su hija quiere que todos se enteren de lo sucedido, o lo contrario quiere ocultárselo a todos. En el momento que el abuso ocurrió la niña perdió su habilidad de decidir. El hecho de decidir a quién y cuándo la historia es compartida le devuelve esta habilidad de decisión. Mi madre compartía mi historia con todos, se convirtió en su dolor y de esta forma llamaba la atención hacia su persona, minimizando mi sufrimiento. Trate de mantener sus sentimientos y su aflicción separados de los de su hija.

6) EDUCACIÓN SEXUAL

Disponga de tiempo para contestar preguntas acerca del sexo, las emociones, las reacciones del cuerpo, etc. Su hija vendrá con preguntas muy inusuales en relación a estas áreas. Nunca sabremos los detalles y la información incorrecta que pudo habérsele dado para conseguir su colaboración en el abuso. Escuche, ore y trate de contestar las preguntas de una forma honesta.

Precaución: no provea más información de la necesaria, solo conteste las preguntas. El proceso de recuperación, sanidad y educación sexual es a largo plazo y los niños solo están en condiciones de asimilar información de forma limitada. Asegúrese de estar preparada para conversar sobre estos asuntos lo más pronto posible.

No utilice palabras infantiles para describir las partes del cuerpo. Siéntase cómoda y segura utilizando los nombres correctos como vagina, pene, senos, etc.

7) HABLANDO DE LA VERGÜENZA

Intente no demostrar inquietud o nerviosismo sobre los temas que su hija quiera conversar con usted. El cuerpo normalmente siente placer con el toque, así que su hija carga con una sensación de culpa y vergüenza inmensa. Desarrolle la habilidad de mantener una conversación en relación sobre temas sexuales. No utilice palabras como "pecado" o "pecaminoso" cuando abarque temas que tienen que ver con el cuerpo. Dios creó nuestro cuerpo para que responda al contacto. Reafirme con sus palabras que el culpable es aquel que abuso de su hija, y no ella con las reacciones naturales de su propio cuerpo.

No permita que su imaginación tome control sobre sus pensamientos. Muchos padres piensan cosas como: "mi hijo/a crecerá y será homosexual", o "tendrá una vida promiscua". Confíe en su habilidad para ayudar a su hija hacia la recuperación completa. Confíe en la capacidad de su hija de aprender y aceptar la verdad de lo ocurrido, y confíe en la ayuda de Dios para superar lo sucedido. *El abuso no debe constituirse en una sentencia de vida, decisiones incorrectas o familias destrozadas.*

8) CONFESIÓN

Si su hija recuerda algo y quiere compartirlo con usted, mantenga el equilibrio y deje lo que está haciendo ofreciendo su atención inmediata. No lo deje para más tarde porque la niña puede perder el interés de compartir. El hecho de que usted está dispuesta a dejarlo todo para prestar atención a lo que ella tiene que decirle, expresa de una forma indiscutible que cree en ella, que la ama y se interesa por ella, y el dolor por el cual está atravesando es de suma importancia para usted. Si tiene una consejera, incentive a su hija a comunicarse también con ella.

Permita que su hija comunique sus emociones en la medida que ella se sienta segura.

Elogie el esfuerzo de su hija a medida que comparta su historia.

Sea paciente y perceptiva en relación a la lucha que su hija está peleando para contar lo sucedido.

Es posible que ella no recuerde todos los detalles de lo sucedido ya que en el momento del abuso fue sometida a un estrés intenso. Puede estar preocupada tratando de evitar que usted se sienta alterada o tal vez tenga miedo que la culpen de lo sucedido. Otra dificultad muy común con los niños abusados es que no pueden entender exactamente lo que sucedió y por lo tanto no encuentran palabras para expresar el trauma al que fueron sometidos. La consejera o terapista de su hija está preparada para ayudarla a exteriorizar sus recuerdos y sentimientos, lo cual conducirá a la sanidad física y mental de la niña. Su habilidad para escuchar y su amor incondicional como madre y/o padre son de igual importancia.

No haga preguntas sugerentes. Vea ejemplos de preguntas sugerentes en el Apéndice II.

Como Iniciar La Conversación Si Sospecha Abuso

Mantenga la calma y la paciencia, esto ayudará a su hija a sentirse segura y protegida. Su tono de voz, su expresión facial y su comportamiento afectarán a su hija más que sus palabras.

Es importante que usted acepte los sentimientos de su hija, de la forma que ella los exprese. Recuerde que la persona culpable es aquella que tocó a su hija de manera inapropiada. Su hija no tiene la culpa, sin importar las circunstancias.

Su objetivo es minimizar el miedo y la ansiedad que su hija pueda sentir y proporcionar seguridad y protección.

Durante la conversación con su hija, consuélela con palabras favorables: "te creo", "no es tu culpa", "te amo", "voy a cuidar de ti".

Considere que aun las caricias inapropiadas pueden crear en los niños sensaciones placenteras. Preguntarle a su hija si ha sido lastimada no ayudará a encarar la situación. Si su hija le dice prometió no contar lo sucedido, ayúdela a entender en que situaciones no es buena idea guardar un secreto. Por ejemplo, si alguien la hizo sentir mal o incómoda, entonces siempre es bueno contarlo. La confesión es difícil, usted puede ayudar a su hija con declaraciones de apoyo tales como: "¿Qué más pasó?", "No voy a estar enojada contigo", "Yo quiero protegerte". Si usted sospecha algún tipo de abuso, haga preguntas directas. En otras palabras, no sugiera lo que podría haber ocurrido en las preguntas que usted hace. Permita que su hija proporcione la información. He aquí algunos ejemplos:

Pregunte: ¿Quién te hizo sentir mal o te hizo hacer algo que no te gustó?

No pregunte: ¿Tu entrenador de natación te tocó?

Pregunte: ¿Qué pasó?

No pregunte: ¿Te ha tocado en tus partes íntimas?

Pregunte: ¿Cuando pasó esto? (Nota: tipo de preguntas "cuándo" son difíciles para niños menores de 5 años).

No pregunte: ¿Ocurrió esto ayer por la noche?

Pregunte: ¿Dónde sucedió esto?

No pregunte: ¿Esto sucedió en la casa de tu amigo?

No haga las mismas preguntas una y otra vez. Los niños son influenciables, y pueden sentir que ellos dieron la respuesta equivocada. Su hija querrá complacerle diciéndole lo que ella piensa que *usted* deseas escuchar.

Enterarse de lo sucedido la inquietará y molestará. Independientemente a sus sentimientos su atención debe permanecer calmada, centrada en ayudar a su hija a sentirse atendida, protegida y reconfortada. Absténgase de reaccionar impulsivamente o enfrentar el abusador. No permita ningún tipo de contacto entre el abusador y la niña e informe a las autoridades inmediatamente.

Mantenga un registro de las fechas en las que su hija le comparte información. Use las mismas palabras de su hija y lleve un registro detallado de las fechas, horarios, nombres, números de teléfono y comunicaciones con las autoridades.

Normas De Seguridad Para Los Niños

Conozco Mis Reglas De Seguridad

LE PREGUNTO PRIMERO A MIS PADRES,

guardianes y otros adultos de confianza antes de ir a cualquier lado, ayudar a alguien, aceptar algo o subir a un auto.

SIEMPRE ANDO CON UN AMIGO

cuando voy a algún lado o juego afuera.

DIGO QUE "NO"

si alguien trata de tocarme o lastimarme. Es correcto que me defienda.

LE DIGO A UN ADULTO DE CONFIANZA

si algo me hace sentir triste, asustado o confuso.

A veces hay personas que tratan de engañar o lastimar a otros. Nadie tiene el derecho de hacerte eso. De manera que usa estas reglas y recuerda que eres fuerte, inteligente y que tienes el derecho de estar a salvo.

Enseñando A Mi Hija Sobre La Seguridad Personal

Una carta de Nancy McBride
Directora del Centro Nacional para Menores Desaparecidos y Explotados - Estados Unidos

Uno de los desafíos de muchos padres y guardianes es la seguridad de los hijos en medio de una sociedad agitada y globalizada. Tal vez se preguntan a que edad es bueno empezar a concientizar a los niños sobre la seguridad personal. Desafortunadamente no hay una regla única. La capacidad del menor para entender y poner en práctica normas de seguridad no esta determinada solamente por la edad del niño, se debe además considerar el nivel educativo y el desarrollo individual.

Para aprender y ejecutar las normas de seguridad es necesario que el niño entienda y las practique frecuentemente como parte de la rutina diaria.

- Instruya a su hijo o hija utilizando un tono suave y apacible. Utilizar el miedo como herramienta no es eficiente, es mejor utilizar la firmeza.
- Dialogue confiadamente sobre temas de seguridad. Conversar abiertamente sobre este tema proveerá a sus hijos la confianza para compartir con usted sobre problemas y situaciones peligrosas.

- No confunda a los niños advirtiéndoles sobre extraños. El peligro es más inminente de alguien que usted o ellos conocen que de un extraño.
- Instruya a sus hijos que ninguna persona tiene el derecho a forzarlos o presionarlos a hacer cosas que ellos no quieran hacer.
- Practique las destrezas de seguridad creando contingencias. Una salida al centro de compras puede ayudarlos a identificar puntos de asistencia y ayuda. La práctica de la comunicación continua es otra forma de concientizar a los niños.
- Supervise a sus hijos. Los niños no deben ser expuestos a situaciones donde se vean obligados a tomar una decisión sobre su propia seguridad, principalmente si no tienen la madurez suficiente para tomar la decisión correcta.
- Conozca a los adultos que están cerca o tienen contacto con sus hijos. Cuanto más participación tenga usted de la rutina de sus hijos es menor el riesgo que corren los niños.

Referencias Bíblicas

Las referencias bíblicas corresponden a la versión NTV – Nueva Traducción Viviente

Pues ustedes son hijos de su padre, el diablo, y les encanta hacer las cosas malvadas que él hace. Él ha sido asesino desde el principio y siempre ha odiado la verdad, porque en él no hay verdad. Cuando miente, actúa de acuerdo con su naturaleza porque es mentiroso y el padre de la mentira. Juan 8:44[1]

El propósito del ladrón es robar, matar y destruir; mi propósito es darles una vida plena y abundante. Juan 10:10[2]

... y conocerán la verdad, y la verdad los hará libres. Juan 8:32[3]

Él extendió la mano desde el cielo y me rescató; me sacó de aguas profundas.

Me rescató de mis enemigos poderosos, de los que me odiaban y eran demasiado fuertes para mí. Me atacaron en un momento de angustia, pero el Señor me sostuvo. Me condujo a un lugar seguro; me rescató porque en mí se deleita. Salmos 18:16-19[4]

Pero Jesús les dijo: «Dejen que los niños vengan a mí. ¡No los detengan! Pues el reino del cielo pertenece a los que son como estos niños». Mateo 19:14[5]

Por lo tanto, ya no hay condenación para los que pertenecen a Cristo Jesús. Romanos 8:1[6]

Él no hizo ninguna distinción entre nosotros y ellos, pues les limpió el corazón por medio de la fe. Hechos 15:9[7]

Usamos las armas poderosas de Dios, no las del mundo, para

derribar las fortalezas del razonamiento humano y para destruir argumentos falsos. Destruimos todo obstáculo de arrogancia que impide que la gente conozca a Dios. Capturamos los pensamientos rebeldes y enseñamos a las personas a obedecer a Cristo; y una vez que ustedes lleguen a ser totalmente obedientes, castigaremos a todo el que siga en desobediencia. 2 Corintios 10:4-6[8]

¡Gracias por hacerme tan maravillosamente complejo!. Tu fino trabajo es maravilloso, lo sé muy bien. Salmos 139:14[9]

... pero si hacen que uno de estos pequeños que confía en mí caiga en pecado, sería mejor para ustedes que se aten una gran piedra de molino alrededor del cuello y se ahoguen en las profundidades del mar. Mateo 18:6[10]

Pues yo sé los planes que tengo para ustedes —dice el Señor—. Son planes para lo bueno y no para lo malo, para darles un futuro y una esperanza. Jeremías 29:11[11]

Luego oí una fuerte voz que resonaba por todo el cielo: «Por fin han llegado la salvación y el poder, el reino de nuestro Dios, y la autoridad de su Cristo. Pues el acusador de nuestros hermanos – el que los acusa delante de nuestro Dios día y noche - ha sido lanzado a la tierra. Apocalipsis 12:10[12]

Pues Dios amó tanto al mundo que dio a su único Hijo, para que todo el que crea en él no se pierda, sino que tenga vida eterna. Juan 3:16[13]

Pero por medio del sufrimiento, él rescata a los que sufren, pues capta su atención mediante la adversidad. Job 36:15[14]

Y estoy convencido de que nada podrá jamás separarnos del amor de Dios. Ni la muerte ni la vida, ni ángeles ni demonios, ni nuestros temores de hoy ni nuestras preocupaciones de mañana.

Ni siquiera los poderes del infierno pueden separarnos del amor de Dios. Romanos 8:38[15]

Destruimos todo obstáculo de arrogancia que impide que la gente conozca a Dios. Capturamos los pensamientos rebeldes y enseñamos a las personas a obedecer a Cristo. 2 Corintios 10:5[16]

Tú creaste las delicadas partes internas de mi cuerpo y me entretejiste en el vientre de mi madre. Salmos 139:13[17]

Mis enemigos no pueden decir la verdad; sus deseos más profundos son destruir a los demás.

Lo que hablan es repugnante, como el mal olor de una tumba abierta; su lengua está llena de adulaciones. Salmos 5:9[18]

Pues Dios no es Dios de desorden sino de paz. 1 Corintios 14:33[19]

Y la bestia fue capturada, y junto con ella, el falso profeta que hacía grandes milagros en nombre de la bestia; milagros que engañaban a todos los que habían aceptado la marca de la bestia y adorado a su estatua. Tanto la bestia como el falso profeta fueron lanzados vivos al lago de fuego que arde con azufre. Apocalipsis 19:20[20]

Así que Dios creó a los seres humanos a su propia imagen. A imagen de Dios los creó; hombre y mujer los creó. Génesis 1:27[21]

Si Amaba Y Oraba A Dios, ¿Por Qué Fui Abusada?

El plan maravilloso de Dios para cada uno de nosotros no incluye el abuso, la enfermedad y el dolor.

La mentira de Satanás comenzó hace mucho tiempo y ahora todos experimentamos dolor, enfermedad y mucho más. Una de las formas más poderosas de luchar contra Satanás es ignorando sus mentiras y manteniendo la comunión con Dios y su palabra, La Biblia .

Toda mi vida oré a Dios y amaba a Jesús con todo mi ser. No podía entender como Dios permitió el abuso, el dolor y los años de sufrimiento. El problema realmente fue que creí en las mentiras del enemigo. Las mentiras que creí dañaron más profundamente mi corazón, mi alma y mi mente, mucho más que el mismo abuso al que fui sometida. Mi cuerpo sanó con rapidez, pero los daños en mi ser interior se prolongaron por muchos años hasta que finalmente descubrí la verdad.

¿Alguna vez te pareció que ciertos versículos de La Biblia eran confusos? ¡Muchos de los versículos bíblicos me confundían!, sin embargo con el tiempo, fue la misma Biblia la que proporcionó la ayuda que necesitaba, una vez que entendí el significado de los versículos que leía. Veamos algunos ejemplos:

Génesis 1:27: Y creó Dios al hombre a su imagen. Él los creó para ser como él mismo. Él los creó hombre y mujer.

Esto significa que Dios nos creó y quería que fuésemos como él. ¿Alguna vez has notado como los padres hallan semejanzas en sus hijos y lo mencionan?:"ella tiene mis ojos" o "él tiene mi nariz." Están orgullosos del parecido que sus hijos tienen con ellos. Dios nos creó para ser como él, y planificó para que nuestra vida fuese extraordinaria y sin ningún sufrimiento. Pero entonces, ¿qué sucedió?. Satanás llegó con sus mentiras y ¡engañó a los hijos de Dios!

El libro de Salmos 5:9 dice: Mis enemigos no pueden decir la verdad; su deseo más profundo es destruir a los demás. Lo que hablan es repugnante, como el mal olor de una tumba abierta; su lengua está llena de adulaciones.

Satanás o el diablo es el mentiroso principal. Engañó a Adán y Eva, y ellos le creyeron en lugar de creer a Dios. El creer las mentiras de Satanás hizo que la vida fuera muy difícil y ocasionó que perdieran su alegría, consecuentemente sus hijos y los hijos de sus hijos siguieron creyendo las mentiras y también perdieron su alegría.

Si los padres, maestros, amigos y vecinos creen estas mentiras que susurra el diablo, ellos pierden el gozo y toman decisiones erradas. Algunos discuten, pelean, gritan, roban y hacen cosas peores. Aun así el amor de Dios está disponible para todos.

Después del abuso, el dolor en mi cuerpo desapareció pero mi corazón y mi mente sufrieron por mucho tiempo. Yo creía que estaba deteriorada para siempre, que el abuso fue culpa mía y que nunca mas podría sentirme digna. Vivía con la convicción de a Dios no le importaba y que nunca podría amarme. Satanás me había convencido de esta despreciable mentira. Sin embargo, con la ayuda de personas amorosas pude entender el inmenso amor de Dios por mí. Aprendí a luchar contra Satanás y finalmente Dios sanó mi corazón y restauró mi mente.

Ahora soy una de princesa con una alegría desbordante. Es mi oración que tu alegría sea restablecida por completo. Dios te ama, yo te amo, eres una joya preciosa, ¡lucha hasta obtener la victoria!.

Agradecimiento

Agradezco a Maggie Riffler por su dedicación para lograr este proyecto, eres una verdadera princesa.

Tammy

CPSIA information can be obtained
at www.ICGtesting.com
Printed in the USA
LVOW02s2136060916

503484LV00001B/1/P